Disneys

DER

# KÖNIG DER LÖWEN

ehapa
KINDERBÜCHER

Seit Urzeiten brennt die heiße Sonne auf den afrikanischen Kontinent. Jeden Morgen verdrängt sie die Nacht und läßt einen fruchtbaren Teil Afrikas in voller Pracht erstrahlen: das Geweihte Land! Aber an jenem Morgen fand noch ein weiteres Naturschauspiel statt: Soweit das Auge reichte, zogen Tiere in großen Scharen der Sonne entgegen.

Ruhigen, gemessenen Schritts setzten Elefanten einen Fuß vor den anderen. Antilopen sprangen durchs Gras. Giraffen stolzierten mit hoch erhobenen Häuptern neben dahinjagenden Geparden. Enten watschelten in Reih und Glied, und große Flamingo-Schwärme zogen wie rosarote Wolken über den Himmel.

Sie alle waren zum Königsfelsen unterwegs, um die Geburt von Prinz Simba zu feiern, König Mufasas Sohn.

Hoch über der Versammlung schritt der alte, weise Magier Rafiki zum Gipfel des Königsfelsens. Er überbrachte König Mufasa und Königin Sarabi seine besten Glückwünsche. Dann brach er einen Kürbis entzwei, tauchte einen Finger in die Flüssigkeit und schrieb ein magisches Zeichen auf die Stirn des Neugeborenen. Dann trug er das Tierjunge behutsam zum Felsvorsprung und hob es feierlich empor.

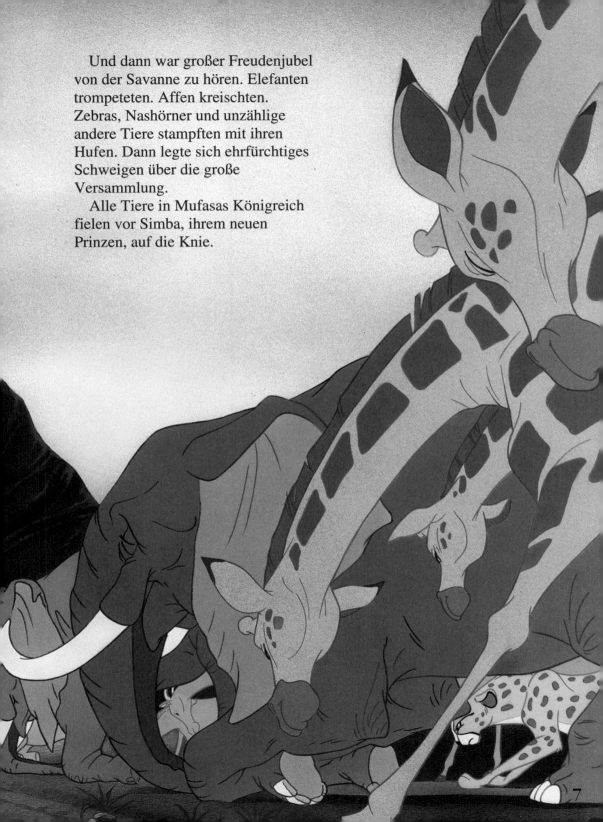

Und dann war großer Freudenjubel
von der Savanne zu hören. Elefanten
trompeteten. Affen kreischten.
Zebras, Nashörner und unzählige
andere Tiere stampften mit ihren
Hufen. Dann legte sich ehrfürchtiges
Schweigen über die große
Versammlung.

Alle Tiere in Mufasas Königreich
fielen vor Simba, ihrem neuen
Prinzen, auf die Knie.

Nur ein Familienmitglied
nahm nicht an der Zeremonie
teil: Mufasas Bruder Scar. Er saß
in seiner Höhle und „spielte" mit
einer kleinen Maus. Gerade wollte
er sie verschlingen, als Zazu, der
Hofmeister des Königs, plötzlich
dazwischentrat. Das Mäuschen suchte
rasch das Weite.

„Zazu! Du dämlicher Tölpel!"
fauchte Scar. „Du hast mein
Mittagessen verjagt!"

„Du wirst noch genügend Anlaß
zum Jammern haben, wenn der König
kommt und dich zur Rede stellt!"

Scar stellte sich taub. Er war immer
noch hungrig, und dieser Zazu sah
zunehmend schmackhafter aus...

Gierig stürzte sich Scar auf den
Vogel, aber noch bevor er ihn
auffressen konnte, befahl eine strenge
Stimme: „Laß ihn los!"

Scar ließ von Zazu ab. „Das hört sich
ganz nach meinem Bruderherz an!"
höhnte er. „Willst mir wohl eine
Strafpredigt halten, was?"

„Sarabi und ich haben dich auf Simbas
Zeremonie vermißt", sagte Mufasa.
„Warum bist du nicht gekommen?"

„Wie? Wo? Das war heute?" fragte
Scar mit gespieltem Entsetzen. „Ach
herrje! Wie peinlich! Das habe ich völlig
vergessen!"

„Vergeßlichkeit hin oder her!" sagte
Zazu streng. „Du bist der Bruder des
Königs und hast gewisse Pflichten zu
erfüllen!"

„Du wärst als Erster an der Reihe gewesen, deinem Bruder zu gratulieren!" fuhr Zazu fort.

„Ich w a r der Erste, bevor dieses winzige Fellbündel geboren wurde!" knurrte Scar.

„Dieses ‚Fellbündel' ist mein Sohn", erinnerte ihn Mufasa, „und dein zukünftiger König."

„Nun, dann sollte ich wohl den Hofknicks üben!" entgegnete Scar mit spitzer Zunge. Er drehte Mufasa die Kehrseite zu und spazierte davon.

„Dreh mir nicht den Rücken zu!" rief Mufasa seinem Bruder warnend nach. Scar wirbelte herum. „Du irrst dich, Mufasa!" höhnte er. „Du solltest besser *mir* nicht den Rücken zukehren!"

„Willst du mir etwa drohen?" fragte der König und schritt auf Scar zu. Zazu ging vorsichtshalber hinter einem Felsbrocken in Deckung.

„Das würde mir nicht mal im Traum einfallen!" gab Scar spöttisch zurück und stolzierte davon.

Viele Monate gingen ins Land. Aus Baby Simba wurde ein kräftiger, kleiner Löwenjunge. Eines frühen Morgens führte Mufasa seinen Sohn auf den Gipfel des Königsfelsens. Als sich die Sonne über dem Horizont erhob, sagte Mufasa: „Schau, Simba! Alles, was die Sonne hell erleuchtet, gehört zu unserem Königreich. Sie geht auf und unter, erstrahlt und verschwindet wie die Zeiten ruhmreicher Könige. Eines Tages wird auch meine Zeit mit der Sonne untergehen, und mit dir, dem neuen König, wieder erstrahlen!"

„Dann wird das alles mir gehören? Wow!" staunte Simba und ließ seinen Blick über die weite Ebene schweifen. „Und die schattige Stelle dort?" Mufasa sah seinen Sohn ernst an. „Dieses Gebiet liegt jenseits unserer Grenzen. Dort darfst du niemals hingehen, Simba!"

Als sie den Königsfelsen verließen, erklärte Mufasa: „Alles was uns umgibt, Simba, bildet im Ganzen ein feines Gleichgewicht. Als König mußt du dieses Gleichgewicht verstehen und jedes Lebewesen achten, denn wir alle sind mit dem großen Kreislauf des Lebens eng verknüpft."

Der junge Löwe bemühte sich, all das zu verstehen, aber ein Grashüpfer erregte seine Aufmerksamkeit, und er jagte ihm hinterher.

In diesem Moment eilte Zazu mit den Morgennachrichten herbei. „Majestät!" rief er. „Hyänen sind ins Geweihte Land eingedrungen!" Rasch befahl der König seinem Hofmeister, Simba nach Hause zu begleiten.

„Darf ich mit dir gehen, Papa! Bitte, bitte!" bettelte Simba.

„Nein, mein Sohn!" erwiderte Mufasa und brach zu den dunklen, weit entfernten Schatten auf.

Nachdem Zazu den kleinen Simba nach Hause begleitet hatte, entdeckte der Löwenjunge seinen Onkel Scar, der sich in der Sonne aalte. „Hallo, Onkel Scar!" rief Simba. „Papa hat mir gerade das ganze Königreich gezeigt!" verkündete er stolz. „Und weißt du was!? Bald werde ich über alles herrschen!"

Scar blitzte ihn böse an. Dann breitete sich ein verschlagenes Grinsen über sein Gesicht. „So, so! Dein Vater hat dir das Königreich gezeigt! Hat er dir auch erzählt, was sich jenseits der Grenzen befindet?"

Simba schüttelte den Kopf. „Er sagt, ich darf da nicht hin."

„Ein weiser Rat!" erwiderte Scar. „Ein Elefantenfriedhof ist viel zu gefährlich für junge Prinzen. Nur die stärksten und mutigsten Löwen wagen sich dorthin."

„Ein Elefanten-was?" staunte Simba. „Wow!"

„Ach je, nun habe ich mich wieder verplappert!" seufzte Scar, aber ein falsches Lächeln spielte um seine Lippen. „Versprich mir, daß du niemals an diesem schrecklichen Ort spielen wirst! Und noch etwas: Was ich dir gesagt habe, bleibt unser kleines Geheimnis!"

Als Scar sich zurückzog, starrte Simba
sehnsüchtig zu den verlockenden Schatten am
Horizont. „Nur die stärksten und mutigsten
Löwen haben dieses Gebiet bisher betreten!"
dachte er. „Papa hat's mir zwar verboten, aber
er wäre bestimmt stolz auf mich, wenn sich
zum erstenmal ein kleiner Löwenjunge dorthin
wagen würde. Ich! Sein mutiger Sohn!" Simba
ahnte nicht, daß er auf dem besten Wege war,
in Scars tödliche Falle zu tapsen.

Abenteuerlustig machte sich Simba auf die Suche nach seiner besten Freundin Nala. Ah, da war sie! Übermütig sprang er auf Nala, ihre Mutter Sarafina und Königin Sarabi zu.

„Mami!" sagte er zu Sarabi. „Ich habe gerade von einem ganz tollen Spielplatz gehört! Dürfen Nala und ich dort hingehen?"

„Wo ist denn dieser Spielplatz, Simba?" fragte seine Mutter. „Ooch... ganz in der Nähe vom Wasserloch", schwindelte der Löwenjunge.

Hatte Onkel Scar nicht gesagt, es sei ihr kleines Geheimnis? Und Geheimnisse sollte man auf keinen Fall verraten!

„In Ordnung", sagte Sarabi. „Aber nur, wenn Zazu euch begleitet."

„Ausgerechnet Zazu!" dachte Simba. „Er ist immer so streng!"

Als Zazu vorausging, flüsterte Simba seiner Freundin zu: „Wir müssen ihm irgendwie entwischen! Wir gehen nämlich nicht zum Wasserloch, sondern zu einem Elefantenfriedhof!"

Als Zazu sich nach den beiden umdrehte und sie miteinander tuscheln sah, sagte er: „Sieh sich mal einer die beiden an! Eure Eltern werden begeistert sein! Ich sehe schon – eines Tages werdet ihr heiraten! So ist es Tradition!"

„Nala heiraten? Vergiß es!" sagte Simba. „Ich kann sie gar nicht heiraten. Sie ist nämlich meine beste Freundin. Und außerdem mache ich sowieso nur, was mir gefällt, wenn ich erst König bin!"

Zazu schüttelte den Kopf. „Mit dieser Einstellung wirst du ein erbärmlicher König."

Simba lachte über Zazus Worte. „Ich kann's gar nicht erwarten, König zu werden!" rief der Löwenjunge und jagte über die weite Ebene davon. Nala rannt ihm nach. Die beiden sausten in Tierherden hinein und wieder heraus, bis sie Zazu erfolgreich abgehängt hatten.

„Es hat geklappt! Von Zazu keine Spur!"
Simba war mächtig stolz auf sich. „Jetzt können
wir endlich zum Elefantenfriedhof gehen."

Übermütig forderte Simba seine Freundin zum
spielerischen Kampf auf. Aber sie war flinker als
er und warf ihn auf den Rücken. Die beiden
purzelten einen Hügel hinunter, bis sie mit einem
dumpfen Plumps liegenblieben. Neben ihnen
ragte ein riesiger Elefantenschädel aus dem
Boden.

„Hier ist es! Wir sind da!" sagte Simba.

„Wow!" flüsterte Nala. „Ganz schön gruslig!"

„Komm!" rief Simba. „Sehen wir uns den
Schädel mal von innen an!"

Aber bevor sie in den Schädel hineinklettern konnten, hatte Zazu die beiden eingeholt. „Wir haben die Grenzen des Geweihten Landes überschritten!" sagte er atemlos. „Wir schweben in größter Gefahr!"

„Pah! Ich lache der Gefahr ins Gesicht!" gab Simba mutig zurück. „Ha, ha!"

„Ha, ha!" erwiderte der Elefantenschädel. Plötzlich tauchten drei Hyänen aus den dunkeln Augenhöhlen auf.

„Sieh mal einer an, Banzai!" sagte eine Hyäne. „Wen haben wir denn hier?"

„Keine Ahnung, Shenzi!" antwortete eine andere. „Was meinst du, Ed?"

Ed, die dritte Hyäne im Bunde, leckte sich grinsend über die Lippen.

Als die Hyänen langsam vorrückten, rief Banzai: „Ich kann mich nicht erinnern, wann ich zum letztenmal zartes Löwenfleisch gefressen habe!"

„He, nun mal langsam!" protestierte Shenzi. „Die Löwen gehören mir!" Während die Hyänen um ihre Beute stritten, wollte sich Zazu mit den Löwenkindern aus dem Staub machen. Aber die Hyänen bemerkten den Fluchtversuch und jagten hinterher. Bald hatten sie ihre Opfer umkreist.

Mit gebleckten Zähnen und triefenden Lefzen krochen die Hyänen auf die Eindringlinge zu. Zuerst packten sie Zazu.

„Feiglinge!" schrie Simba. „Warum greift ihr euch nicht jemanden in eurer Größe?"

Die Hyänen ließen Zazu fallen und wandten sich den Löwenkindern zu. Shenzi hatte Nala bedrohlich in die Ecke gedrängt, als Simba ausholte und der Hyäne mit seinen scharfen Krallen die Wange zerkratze.

Wütend trieben die Hyänen ihre Beute in eine schreckliche Falle. Zitternd vor Angst hockten die Löwenkinder im Gerippe eines Elefanten. Die ausgebleichten Riesenknochen umschlossen sie wie ein Gefängnis. Knurrend krochen die Hyänen auf Simba zu. Ihre scharfen Zähne glänzten bedrohlich.

Plötzlich wurde Shenzi vom Schlag einer riesigen Pranke durch die Luft gewirbelt und in einen Knochenhaufen geschleudert. Den anderen Hyänen erging es nicht anders.

Sie waren Mufasa, dem großen
Löwenkönig, nicht gewachsen und
nahmen jaulend Reißaus.

„Wagt es nicht noch einmal,
meinen Sohn anzugreifen!" brüllte
Mufasa ihnen hinterher.

Scar hatte das Schauspiel von einem hohen Felsvorsprung aus beobachtet. Die Hyänen hatten versagt. Simba lebte noch! Nun mußte er einen neuen Plan aushecken!

Hätte Mufasa nach oben gesehen, hätte er seinen Bruder entdeckt. Er hätte sich gefragt, ob er mit den Hyänen gemeinsame Sache machte. Aber Mufasa hatte nur Augen für Simba, der sein Verbot hierher zu kommen mißachtet hatte.

„Zazu!" brummte Mufasa. „Bring Nala nach Hause.
Ich muß ein Wörtchen mit meinem Sohn reden!"

Simba senkte schuldbewußt den Blick.

„Du hast mich sehr enttäuscht, Simba!" sagte Mufasa.

„Ich wollte doch nur genauso mutig sein wie du, Papa!"

Mufasa lächelte sanft. „Ich bin nur mutig, wenn mir keine andere Wahl bleibt.
Niemals aber beweise ich meinen Mut, indem ich nach gefährlichen Abenteuern
Ausschau halte, Simba!"

Hoch über ihren Köpfen blinkten die ersten Sterne am Abendhimmel.
Simba sah seinen Vater an und sagte plötzlich: „Papa, wir bleiben doch immer
zusammen, oder?"

„Ich werde dir etwas erzählen, was mein Vater mir seinerzeit erzählt hat, Simba",
erwiderte Mufasa. „Die großen Könige längst vergangener Zeiten sehen von den
Sternen auf uns herab. Sie führen uns, wo immer wir sind. Auch ich werde eines
Tages bei den Sternen wohnen, aber in Gedanken werde ich stets bei dir sein!"

44

Nicht weit entfernt warf Scar den Hyänen ein paar Fleischbrocken vor die Füße. „Ihr habt es eigentlich nicht verdient!" knurrte er. „Ich habe euch die Löwenkinder sozusagen auf einem Silbertablett serviert, und ihr habt sie trotzdem nicht erledigt!"

„Was hätten wir tun sollen?" erwiderte Banzai. „Etwa Mufasa töten?"

„Du hast es erraten!" sagte Scar.

Während die Hyänen heißhungrig über die Fleischstücke herfielen, heckte Scar einen neuen Plan aus. Das nächstemal würde es für Simba keine Rettung mehr geben! Weder für ihn noch für seinen Vater!

Am darauffolgenden Tag setzte Scar seinen Plan in die
Tat um. „Dein Vater hat eine Überraschung für dich!"
sagte er zu Simba und führte ihn in eine tiefe Schlucht.
    „Ist es eine schöne Überraschung, Onkel Scar?"
    „Sie ist so schön – du würdest dafür sterben, Simba!
Warte hier, und du wirst es erleben!" sagte er und ließ
**48**  Simba alleine zurück.

Nicht weit von Simba entfernt graste eine Herde Gnus. In der Nähe hatten die drei Hyänen Stellung bezogen. Sie warteten auf ein Zeichen von Scar.

Shenzi entdeckte ihn zuerst. „Dort ist er! Los geht's!"

Die Hyänen rannten auf die Gnus zu. Die Herde spürte die nahende Gefahr. Von wilder Panik erfaßt, stampften die Tiere in die schmale Schlucht, direkt auf Simba zu.

Auf dem Königsfelsen bemerkten Mufasa und Zazu die Staubwolken, die von der Schlucht emporstiegen.

„Mufasa!" schrie Scar und rannte hinter einem Felsbrocken hervor. „Schnell! Die Gnus rasen durch die Schlucht! Simba ist da unten!"

Ohne einen Gedanken an seine eigene Sicherheit zu verschwenden, sprang der Löwenkönig in die Schlucht. Er packte Simba und rettete ihn vor den tödlichen Hufen.

Mufasa hielt seinen Sohn fest umklammert, als er sich einen Weg durch die donnernde Herde kämpfte. Ein Gnu prallte auf Mufasa und schleifte ihn ein Stück weit mit. Der König verlor Simba aus seinem Griff, aber er hetzte zurück und riß Simba wieder an sich.

Von den schweren Leibern zahlloser Gnus beinahe erdrückt, suchte Mufasa verzweifelt nach einem Fluchtweg. Er starrte die glatten Felswände empor und hoffte inbrünstig, einen kleinen Vorsprung zu finden, auf dem er Simba sicher absetzen konnte. Endlich hatte er einen entdeckt!

Mufasa sprang auf den Felsvorsprung und setzte Simba behutsam darauf ab. Plötzlich spürte er, wie die Steine unter seinen Hinterpfoten nachgaben. Er verlor den Halt und stürzte in die Herde zurück.

Schwerverletzt versuchte er, sich auf einen anderen Felsbrocken zu retten. In Todesangst sah er nach oben und entdeckte Scar.

„Bruder!... Hilf mir!" bat Mufasa.

Scar neigte sich zu Mufasa und zog ihn nah an sich heran. „Lang lebe der König!" fauchte er und ließ ihn los. Mufasa stürzte in die Tiefe und wurde unter den donnernden Hufen begraben.

Simba ahnte nichts von Scars schrecklicher Tat, als er seinen
Vater in  den Abgrund stürzen sah. Nachdem die Gnus
vorbeigedonnert waren, rannte der Löwenjunge in die staubige
Schlucht. Dort fand er seinen Vater. Er stupste den  leblosen
Körper zärtlich an, aber der große Löwenkönig war tot.

Scar trat an Simbas Seite. „Was hast du getan?" fauchte er böse.

„Er hat mir das Leben gerettet!" flüsterte der Löwenjunge schwach.

„Du bist schuld an seinem Tod! Wenn du nicht gewesen wärst, würde dein Vater noch leben!" knurrte er. „Verschwinde von hier, Simba! Verschwinde, und wage es nicht, jemals wieder zurückzukehren!"

Verwirrt und unsagbar traurig, begann Simba zu laufen. Er bemerkte nicht die Hyänen, die sich um seinen Onkel scharten, und er hörte auch nicht Scars Befehl: „Tötet ihn!"

Am Rand eines hohen Tafelbergs hatten die Hyänen Simba eingeholt. Für den Löwenjungen gab es nur noch einen Ausweg: Er sprang in die Tiefe und landete in einem dichten Dornengebüsch.

Die Hyänen getrauten sich nicht, Simba zu folgen. Sie blieben am Rand des Tafelbergs stehen und kicherten schadenfroh.

„Setze ja nie mehr einen Fuß ins Geweihte Land!" schrien sie ihm nach. „Das wäre dein sicherer Tod!"

In der trügerischen Gewißheit, daß Simba ermordet
worden war, kehrte Scar mit den schrecklichen
Neuigkeiten zum Königsfelsen zurück.

„Mufasa starb wie ein Held!" verkündete er mit
feierlicher Stimme. „Er wollte sein Leben für das seines
Sohnes opfern. Leider sind sie beide umgekommen."

Sarabi, Nala und die anderen Löwinnen fielen in tiefe
Trauer. Scar bestieg den Thron seines Bruders.
„Schweren Herzens nehme ich die Thronfolge an.
Nun bin ich euer König!"

Rafiki, der das Schauspiel aus der Entfernung
beobachtet hatte, schüttelte ungläubig den Kopf.

Verwundet und zu Tode erschöpft, schleppte sich Simba durch die heiße, trockene Wüste. Unter der sengenden Sonne zogen Aasgeier ihre Kreise. Unfähig, auch nur einen Schritt weiterzugehen, brach Simba zusammen und fiel in eine tiefe Ohnmacht.

Als Simba wieder zu sich kam, waren die brennende Sonne und die Geier verschwunden. Eine Meerkatze und ein Warzenschwein standen neben ihm.

„Bist du okay, Junge?" fragte die Meerkatze.

„Du wärst fast gestorben", sagte das Warzenschwein. „Wir haben dich gerettet."

„Danke für eure Hilfe", erwiderte Simba. Er stellte sich auf seine wunden Pfoten und ging schleppend weiter.

„Woher kommst du?" rief die Meerkatze dem erschöpften Löwenjungen nach.

„Spielt keine Rolle", flüsterte Simba. „Ich habe etwas Furchtbares getan", fügte er hinzu. „Aber ich will mit niemandem darüber reden."

„Ein Ausgestoßener!" rief die Meerkatze begeistert aus. „So wie wir! Ich heiße Timon, und das ist Pumbaa. Hör mir zu, kleiner Löwe! Vergiß deine Vergangenheit. Keine Vergangenheit, keine Zukunft – keine Sorgen! *Hukuna matata!* – wie ich immer zu sagen pflege."

Gleichgültig schloß sich Simba den beiden an und folgte Timon und
Pumbaa in den Dschungel. Timon reichte Simba ein paar zappelnde
Insekten. „Wir leben auf der Sonnenseite des Lebens", erklärte die
Meerkatze. „Keine Regeln, keine Verantwortung, und das beste von allem:
weder Kummer, noch Sorgen!"

Pumbaa und Timon gaben sich große Mühe, Simba ein sorgenfreies Leben schmackhaft zu machen. Sie brachten ihm viele Tricks bei, die Spaß machten: Zum Beispiel wie man sich eine Hängematte aus Lianen machen konnte, wie man kühle Wasserfälle hinunterrutschte und allerlei anderen vergnüglichen Unsinn.

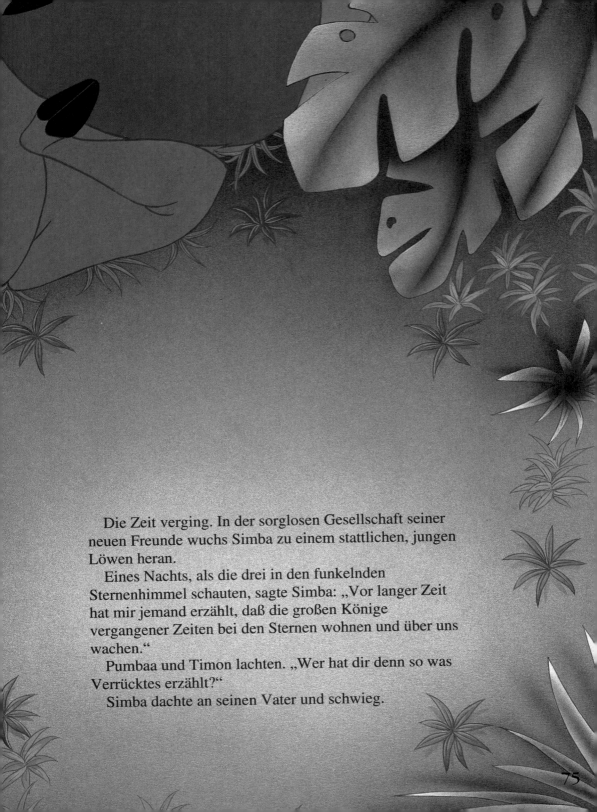

Die Zeit verging. In der sorglosen Gesellschaft seiner
neuen Freunde wuchs Simba zu einem stattlichen, jungen
Löwen heran.

Eines Nachts, als die drei in den funkelnden
Sternenhimmel schauten, sagte Simba: „Vor langer Zeit
hat mir jemand erzählt, daß die großen Könige
vergangener Zeiten bei den Sternen wohnen und über uns
wachen."

Pumbaa und Timon lachten. „Wer hat dir denn so was
Verrücktes erzählt?"

Simba dachte an seinen Vater und schwieg.

Spät am Abend entfernte sich Simba von seinen Freunden und
kletterte auf einen nahen Berg. In Gedanken an seinen Vater
betrachtete er den sternenklaren Himmel. Schmerzhafte Erinnerungen
bedrängten ihn, so daß er sich immer wieder Timons Spruch
einredete: „*Hakuna matata!*" Nein, er wollte nicht an die
Vergangenheit denken!

Während Simba versuchte, seine Erinnerungen abzuschütteln, sah der alte, weise Rafiki in die Zukunft. Er brach einen Kürbis entzwei und starrte auf den Inhalt. Was er im Innern des Kürbisses las, erfüllte ihn mit tiefer Zufriedenheit.

„Simba!" rief er und rannte zu einer Felszeichnung des Löwenjungen. Mit dem saftigen Inneren eines zweiten Kürbisses malte er eine prächtige Mähne um Simbas Gesicht. „Die Zeit ist reif!" verkündete Rafiki. Er nahm seinen Wanderstock und eilte auf die weit entfernten Grenzen des Geweihten Landes zu.

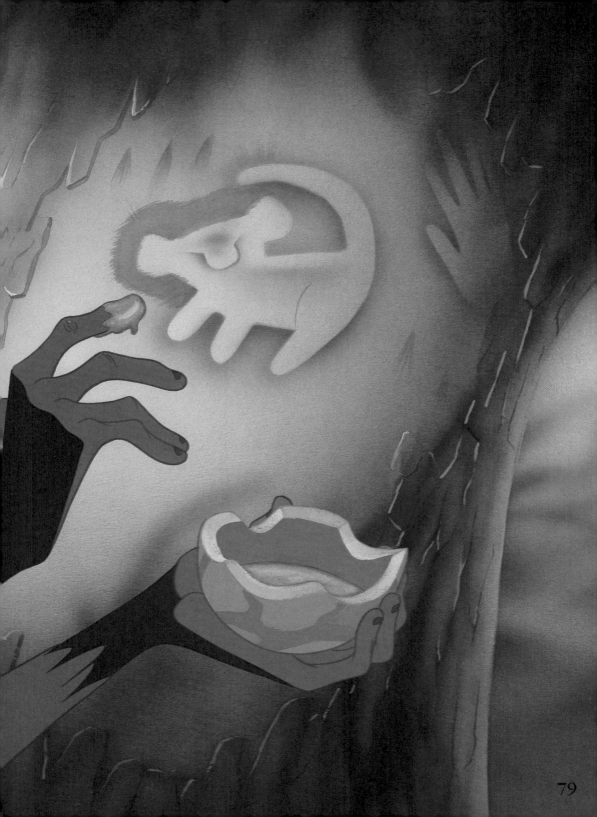

Am nächsten Tag streifte Simba durch den Dschungel, als er
plötzlich seine Freunde um Hilfe rufen hörte.

Voller Sorge folgte Simba den Stimmen. Pumbaa war unter dem
Stamm eines umgestürzten Baumes eingeklemmt. Timon versuchte,
ihn vor einer hungrigen, jungen Löwin zu schützen.

Als die Löwin angriff, warf sich Simba ihr
entgegen und stieß sie zur Seite. Die beiden
kämpften miteinander, bis die Löwin Simba auf
den Rücken warf und auf ihn niederstarrte.

„Simba?" fragte sie zögend.

„Nala!" rief er glücklich.

Als die Löwen sich stürmisch begrüßten, rief
Timon: „Was ist hier eigentlich los?"

Simba lachte und stellte Nala seinen Freunden vor. Sie
lächelte freundlich, aber sie konnte den Blick nicht vom Simba
wenden. „Wir dachten alle, du seist tot", sagte sie schließlich.

„Wirklich?" fragte Simba.

„Ja. Scar hat uns von der Sache mit der Gnu-Herde erzählt."

„Was hat er euch noch gesagt?" fragte Simba vorsichtig weiter.

„Das spielt jetzt keine Rolle mehr!" rief Nala. „Du lebst! Das
bedeutet: Du bist der König!"

„König?" wiederholten Timon und Pumbaa verblüfft.

Simba und Nala verabschiedeten sich für kurze Zeit von Timon und Pumbaa und spazierten durch den Dschungel. „Scar hat den Hyänen freien Zugang zum Geweihten Land verschafft", berichtete Nala. „Alles ist zerstört. Es gibt weder Nahrung, noch Wasser. Du mußt etwas unternehmen, Simba, sonst werden alle verhungern!"

„Ich kehre nicht zurück", sagte Simba entschlossen.

Nala verstand die Welt nicht mehr. Warum sträubte sich Simba, die Verantwortung für das Geweihte Land zu übernehmen? „Was ist mit dir geschehen?" fragte sie. „Du bist nicht mehr der Simba, den ich früher einmal kannte."

„Stimmt. Ich habe mich verändert", sagte er. „Bist du nun zufrieden?" Simba kehrte ihr den Rücken zu. „Was erwartest du?" fragte er aufgebracht. „Glaubst du wirklich, du kannst hier aufkreuzen und mir vorschreiben, was ich tun und lassen soll? Du hast ja keine Ahnung, was ich durchgemacht habe!"

Nala wollte ihn zurückrufen, aber Simba verschwand ohne ein weiteres Wort. 85

In der darauffolgenden Nacht, als seine Freunde längst schliefen, saß Simba allein auf einem Felsen und starrte in den glitzernden Himmel. „Egal, was die anderen sagen", dachte er, „ich werde nicht zurückkehren. Was würde es bringen? Man kann die Zeit nicht zurückdrehen. Die Vergangenheit läßt sich nicht ändern."

Plötzlich hörte Simba ein eigentümliches Geräusch. Irgendwo im Dickicht des Dschungels leierte jemand einen seltsamen, fast beschwörenden Singsang herunter. Wie aus dem Nichts erschien die gekrümmte Gestalt eines alten Pavians neben ihm.

„Wer bist du?" fragte Simba ärgerlich. „Was willst du hier?"

„Die Frage ist: Wer bist du?" erwiderte der Pavian.

Simba dachte einen Augenblick nach, dann seufzte er.

„Ich kenne deinen Vater", behauptete der alte Pavian.

„Mein Vater ist tot", sagte Simba mit harter Stimme.

„Nein!" sagte der Pavian. „Er lebt. Ich werde dich zu ihm führen. Folge dem alten Rafiki! Er kennt den Weg."

Der weise Pavian führte Simba zu einem klaren, ruhigen Teich. „Sieh hinein!" sagte Rafiki.

Im stillen Wasser des Teichs sah Simba sein eigenes Spiegelbild. „Sieh weiter hinein!" sagte der Pavian.

Eine sanfte Brise kräuselte die Wasseroberfläche. Als das Wasser wieder glatt war, starrte Simba ins Antlitz seines Vaters.

„Siehst du nun?" sagte Rafiki. „ Er lebt in dir!"

Plötzlich hörte Simba eine vertraute Stimme, die ihn rief. Er blickte auf und entdeckte das Bild seines Vaters in den Sternen.

„Schau in dich hinein, Simba", sagte das Bildnis seines Vaters. „Du bist mehr, als du zu sein glaubst. Nimm deinen Platz im Kreislauf des Lebens ein! Besinne dich deines Ursprungs! Du bist mein Sohn und der einzig wahre König. Denk immer daran..."

Die Vision verschwand. Simba blieb allein zurück und dachte nach.

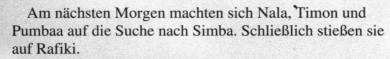

Am nächsten Morgen machten sich Nala, Timon und Pumbaa auf die Suche nach Simba. Schließlich stießen sie auf Rafiki.

„Hier werdet ihr Simba nicht finden", sagte der Pavian. „Der König kehrt in sein Reich zurück."

„Was meinst du damit?" fragte Timon.

„Endlich! Er kehrt zurück, um seinen Onkel herauszufordern!" erklärte Nala froh.

Simba war seinen Freunden schon weit voraus. Er eilte in Richtung
Königsfelsen. Als er in sein Heimatland kam, schwand ihm der Mut.
Überall begegnete ihm Verfall und Zerstörung. Traurig sank er zu Boden.
Alle Kraft war aus seinen Beinen gewichen. Dann spürte er einen frischen
Wind. Am Horizont ballten sich dichte Regenwolken zusammen. Mit neuer
Hoffnung setzte Simba seinen Weg fort.

Nala, Pumbaa und Timon gelang es doch noch, ihn einzuholen. Als sie
sich dem Königsfelsen näherten, begegneten sie den ersten Hyänen. Pumbaa
und Timon blieben zurück, um die Meute abzulenken. Nala trommelte die
Löwinnen zusammen, während Simba sich mühsam alleine weiterkämpfte,
auf der Suche nach seiner Mutter.

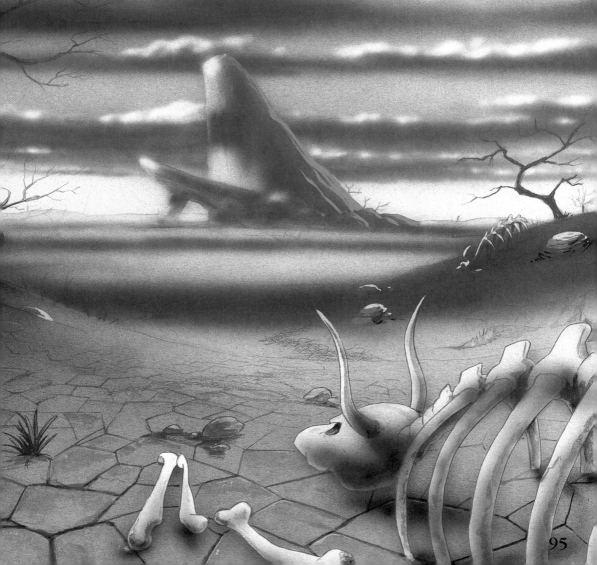

In der Zwischenzeit lag Scar faul auf der Spitze des Königsfelsens und herrschte mit Grausamkeit über sein Volk.

„Wo bleibt dein Jagdtrupp mit der Beute?" schnauzte er Sarabi an.

„Es gibt nichts mehr zu jagen!" erwiderte sie. „Die Herden sind weitergezogen. Uns bleibt keine Wahl! Wir müssen den Königsfelsen verlassen."

„Wir gehen nirgendwohin!" knurrte Scar.

Sarabi seufzte. „Damit hast du das Todesurteil über uns gesprochen!"

„Meinetwegen! Ich bin der König und ich bestimme, was gemacht wird!"

„Wenn du nur halb so viel zum König taugen würdest wie Mufasa..." begann Sarabi, aber Scar brachte sie mit einem heftigen Schlag zum Schweigen.

Plötzlich hallte ein gewaltiges Brüllen von den Felswänden wider. Scar fuhr herum. Er sah sich einem zu allem entschlossenen Löwen gegenüber.

„Mufasa?" hauchte er mit tonloser Stimme. „Nein! Das kann nicht sein! Du bist tot!"

Mit zitternden Knien wich er zurück. „Was willst du?" schrie er. „Warum bist du hier? Geh weg! Verschwinde! Laß mich in Ruhe!"

Obwohl viele Jahre vergangen waren, erkannte Sarabi ihren Sohn sofort wieder. „Simba!" sagte sie ruhig. „Du lebst!"

„Simba??" kreischte Scar. Wütend starrte er die Hyänen an, die es wieder nicht geschafft hatten, Mufasas Sohn zu töten.

„Dies ist mein Königreich!" erklärte Simba. „Verschwinde von meinem Thron!"

Scar lachte ihm ins Gesicht. „Das würde ich liebend gerne. Aber da gibt es ein kleines Problem." Er gab den Hyänen ein Zeichen.

Im Nu hatte das gefräßige Rudel Simba eingekreist.

„Das reicht fürs erste!" befahl Scar. Die Hyänen wichen zur Seite und ließen einen schmalen Gang für ihren Herrn und Meister frei. Er näherte sich Simba, der mit seiner Todesangst kämpfte.

Scar grinste höhnisch. „Wo habe ich diesen Ausdruck zum letztenmal gesehen? Ach ja... ich erinnere mich. Mit diesem Blick hat mich auch dein Vater angestarrt – kurz bevor ich ihn umgebracht habe!"

Simba nahm all seine Kräfte zusammen und stürzte sich auf seinen Onkel. Während des Kampfes schrie Scar den Hyänen zu, ihm zu helfen. Aber da kamen Nala und die Löwinnen herbei, zusammen mit Timon und Pumbaa. Wütend griffen sie die Hyänen an und drängten sie zurück.

Während des Kampfgetümmels schlugen heftige Blitze in das trockene Gras der Ebene ein. Der Wind, scharf und grimmig, blies riesige Flammen auf den Königsfelsen zu. Simba verlor seinen Onkel aus den Augen.

Simba entdeckte Scar wieder, als der gerade wieder auf den Königsfelsen zurückkriechen wollte. Qualm und Flammen trotzend, ging Simba mutig zum Angriff über.

„Simba! Nun versteh doch endlich!" schmeichelte Scar. „Ich bin auf deiner Seite! Die Hyänen sind die wahren Bösewichte. Sie sind deine Feinde, nicht ich! Es ist alles ihre Schuld!"

„Verschwinde von hier, Scar!" befahl Simba und wiederholte damit die Worte, die sein Onkel seinerzeit zu ihm gesprochen hatte. „Verschwinde von hier, und kehre nie wieder zurück!"

Scar schlich davon, wirbelte aber plötzlich herum und sprang Simba an. Simba handelte schnell: Er stieß Scar über den Felsvorsprung in die Tiefe. Das hungrige Jaulen des Hyänenrudels drang aus dem Abgrund herauf. Scars schreckliches Schicksal war besiegelt.

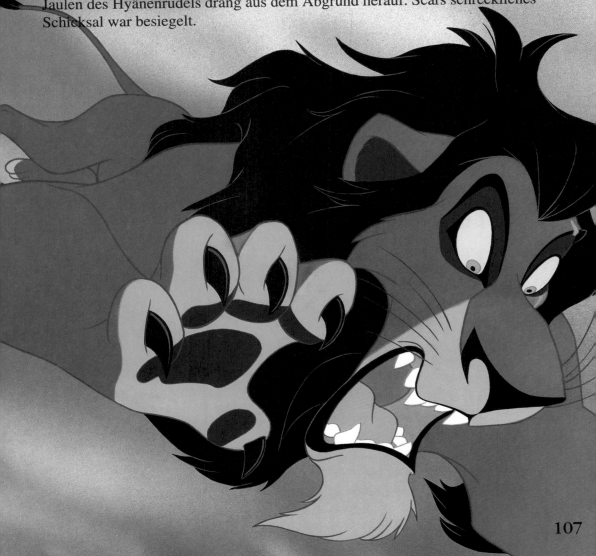

Als die Wolken aufbrachen und strömender Regen auf die brennende Erde fiel, bestieg Simba den Königsfelsen. Bald waren die Wolken einem klaren, glitzernden Sternenhimmel gewichen. Alle Tiere, die Simbas triumphierendes Brüllen hörten, stimmten mit Freude ein.

Unter dem weisen und tapferen König erwachte das Geweihte Land bald zu neuem Leben. Die Herden kehrten zurück. Es gab wieder Nahrung in Hülle und Fülle.

Von der Spitze des Königsfelsens aus überwachte Simba sein Königreich. Er betrachtete das blühende Land unter sich und wußte, daß er das Richtige getan hatte. Er hatte sich seiner Vergangenheit gestellt und nicht nur gegen Scar, sondern auch gegen sich selbst gekämpft! Im Stillen dankte er seinem Vater für den weisen Rat. Er dankte auch Rafiki und seiner alten Freundin Nala, die wirklich seine Frau und Königin wurde.

Bald darauf strömten die Tiere von neuem herbei, um die Geburt eines Prinzen zu preisen, König Simbas kleinem Sohn. Auf dem Königsfelsen sahen Simba und Nala stolz dabei zu, wie Rafiki ihr Baby feierlich in die Höhe hielt.

Als die Morgensonne über dem afrikanischen Kontinent aufging, dachte Simba an die Worte, die sein Vater vor langer Zeit zu ihm gesprochen hatte: „Die Sonne geht auf und unter, erstrahlt und verschwindet wie die Zeiten ruhmreicher Könige. Eines Tages wird auch meine Zeit mit der Sonne untergehen, um mit dir als neuem Herrscher wieder zu erstrahlen!" Eines fernen Tages würde Simba seinem Sohn die gleichen weisen Worte sagen. Der große Kreislauf des Lebens setzte sich fort...

**– ENDE –**